Einfach den Tag genießen

Christa Spilling-Nöker
Fotografien
von Klaus Ender

Einfach den Tag genießen

HERDER Freiburg · Basel · Wien

In einen neuen Tag aufstehen

Wenn sich das erste Licht am Himmel zeigt und die Vögel ihr Morgenkonzert anstimmen, dann beruft uns das Leben dazu, in einen neuen Tag aufzustehen. Zahlreiche Stunden breiten sich erwartungsvoll vor uns aus, um von uns mit unserer Fantasie und unseren schöpferischen Einfällen gestaltet zu werden. Noch ist alles möglich, um die Zeit nicht totzuschlagen, sondern sie lebendig zu füllen, um ihr einen einmaligen Sinn zu geben. Denn jeder Tag ist ein einzigartiges, niemals wiederkehrendes Geschenk, er ist ein Leben für sich.

Wir können kein Gestern wiederholen, auch wenn wir uns das manchmal wünschen. Aber aus dem heutigen Tag können wir etwas ganz Besonderes machen.

„Ich schau den weißen Wolken nach und fange an zu träumen“, so beginnt ein alter Schlager von Lale Andersen. Mich haben diese Zeilen schon als Kind ungemein fasziniert. Stundenlang konnte ich in den Sommerferien im warmen

Den Wolken nachträumen

Gras auf dem Rücken liegen und zusehen, wie sich die Wolkengebilde zu immer wieder neuen Formen zusammentürmten und verschoben, in denen ich stets neue Gestalten oder Tiere zu entdecken glaubte, die mich zum Austräumen ganzer Fantasiegeschichten anregten. Was für ein herrlicher, spielerischer Zeitvertreib, der dem Körper Ruhe und der Seele Entspannung schenkt und der schöpferischen Energie zugleich lustvoll Flügel wachsen lässt.

„Der Vogel, der am Morgen singt, den holt die Katz' zu Mittag", lautet eine bekannte Redensart und will damit wohl Ähnliches aussagen wie das Sprichwort: „Übermut tut selten gut." Dabei ist es doch wunderschön, wenn man den Tag anstatt mit einem griesgrämigen Gesicht und einer Reihe von lustlosen Gedanken im Kopf mit einem heiteren Lied auf den Lippen und damit zugleich mit einem fröhlichen Herzen beginnen kann. Mancher Ärger lässt sich mit einem sonnigen Gemüt leichter ertragen

Das kann ja heiter werden

als mit einer pessimistischen Lebenshaltung. Außerdem haben vergnügliche Melodien ansteckende Wirkung auf die Umgebung, denn nicht umsonst heißt es in einem alten Volkslied: „Wo man singt, da lass dich ruhig nieder, böse Menschen haben keine Lieder."

Das Leben verdrehen

Wir halten es für selbstverständlich, dass die Sonne uns tagsüber leuchtet und wärmt, dass die Blumen für uns blühen, die Vögel für uns singen und dass wir uns nachts über den wunderschönen Sternenhimmel freuen dürfen.

Oft nehmen wir die Herrlichkeit der Natur schon gar nicht mehr wahr. Vielleicht sollten wir einen Tag lang diese Gewohnheiten umdrehen: nämlich so warmherzig leben, dass die Sonne sich an uns erfreut, so lebendig und vielfarbig in unserer Seele aufblühen, dass die Blumen sich bemühen müssen, mit uns standzuhalten. Wir könnten ja auch einmal fröhlich mit den Vögeln um die Wette singen und unserem Herzen von innen her eine solche Leuchtkraft schenken, dass die Sterne am Firmament vor Neid erblassen. Wie wundervoll könnte solch ein Leben sein.

Wie oft eilen unsere Gedanken unserem gegenwärtigen Tun voraus. Da stehen wir am Morgen unter der Dusche, aber anstatt das warme Wasser auf unserer Haut zu genießen, sind wir in Gedanken schon beim Frühstück.

Bleiben können bei dem, was ist

Wenn wir schließlich am Esstisch sitzen und es auskosten könnten, in das frische, knusprige und gut belegte Brötchen zu beißen und uns den duftenden heißen Kaffee dazu schmecken zu lassen, lenken wir uns mit der Morgenzeitung von diesem Genuss ab. Und meistens geht der ganze Tag so weiter. Beim Einkaufen sind wir in Gedanken schon beim Kochen, beim Kochen beim Essen, beim Essen beim Spülen und dem, was wir an diesem Tag sonst noch zu erledigen haben. Schade eigentlich, dass wir die mögliche Freude an der Gegenwart auf Kosten der Zukunft verschenken.

Meistens ist unser Alltag mit einer Fülle von Aufgaben und Pflichten angefüllt, und wir sind froh, wenn wir damit „irgendwie durchkommen“. Auf diese Weise vergeht, immer mit dem hastigen Blick auf die Uhr, Stunde um Stunde, bis wir am Abend erschöpft auf dem Sofa sitzen und froh sind, dass wir auch diesen Tag wieder überstanden haben. Dabei sind wir nicht auf der Welt, um unser Leben Tag für Tag, Woche um Woche, Jahr für Jahr hinter

Den Augenblick auskosten

uns zu bringen, bis uns der Tod ereilt. Vielleicht können wir uns in der Zukunft im Getriebe des Alltags kleine Atempausen einbauen, die uns abschalten und wenigstens für kurze Zeit unser Leben genießen lassen, damit wir wie Goethes Faust zum Augenblick sagen können: „Verweile doch, du bist so schön.“

Arbeit kann auch Spaß machen

Nicht jede Arbeit ist Mühe, nicht jede Aufgabe Last.
Es gibt viele Menschen, die an ihrem Beruf oder an ihren ehrenamtlichen Tätigkeiten viel Freude haben und die solche Herausforderungen brauchen, um lebendig zu sein.
Die Gespräche mit Kolleginnen und Kollegen bewegen zu neuen Ideen, der Einsatz im sozialen Bereich beschenkt einen oftmals mit Dankbarkeit und vermittelt einem zugleich das Gefühl, etwas Sinnvolles getan zu haben.
Trotz manchem Ärger oder der ein oder anderen Enttäuschung, die es natürlich auch gibt, können sich solche Menschen abends mit dem Gefühl tiefer Befriedigung ins Bett legen, wohl wissend, dass dieser Tag kein verlorener, sondern ein erfüllter Tag gewesen ist.

Lust im Frust

Eine Gruppe von Kolleginnen und Kollegen klagte über die unendlich ermüdenden und frustrierenden Sitzungen und Besprechungen, die ihnen den letzten Nerv raubten und ihnen so überflüssig erschienen wie ein Kropf. Da begann einer der Teilnehmer plötzlich laut aufzulachen. Alle anderen sahen erstaunt zu ihm hin. „Wenn ich in einer langweiligen Veranstaltung sitzen muss", meinte er, „überlege ich mir, ob dem nicht doch irgendetwas Schönes abzugewinnen ist. Dann freue ich mich über die Butterbrezel und den Kaffee auf dem Tisch und genieße wenigstens das." „Das ist Lebenskunst", meinten die anderen verblüfft und beschlossen, sich von dieser „Brezel" eine Scheibe abzuschneiden und mit in ihren Alltag zu nehmen.

Manche Tage sind so düster, dass wir sehnlichst auf einen Lichtblick hoffen. Manchmal genügt ein erfreulicher Brief, ein überraschender Anruf von einem lieben Menschen oder ein anerkennendes Wort, um uns wieder ein Fenster zum Himmel zu öffnen. Hoffentlich sind wir auch in der Lage wahrzunehmen, dass sich die Wolken wenigstens an einer Stelle wieder verzogen haben, und können es genießen, dass die Sonne es nicht ganz aufgegeben

Ein Fenster zum Himmel entdecken

hat, unser Herz zu wärmen. Vielleicht bekommen wir auch Lust, unserem Erfolgserlebnis oder den freundlichen Gedanken, die uns erreicht haben, am Abend eine kleine Feier auszurichten, damit die Heiterkeit in uns wachsen kann und der Tag, der so dunkel begonnen hat, noch einen freundlichen Ausklang findet.

„Heute wird es noch Regen geben“, sagte sie mit einem Blick zum Himmel, an dem sich gerade eine Wolke vor die Sonne schob. „Ich genieße im Augenblick den herrlichen Sommertag“, erwiderte er. „Übrigens wächst im Staudenbeet eine Menge Unkraut“, meinte sie. „Sieh doch nur, wie die Glockenblumen leuchten. Auch die Margeriten gehen schon auf“, warf er begeistert ein. „Hast du übrigens schon gesehen, was für eine Fülle an Knospen unsere Rosen in diesem Jahr angesetzt haben? Das wird ein Blühen und eine Freude geben.“ Sein Gesicht strahlte vor Freude. „Die Zweige werden so schwer werden, dass sie alle herunterbrechen“, warf sie mit sorgenvollem Blick ein.

Wer von den beiden ist nun in der Lage, den Tag zu genießen und wer nicht?

Paargespräch oder: Eine Rätselaufgabe

Der Natur ihr Recht geben

Heute dem Wind sein Rauschen in den Blättern lassen und die erschauernde Faszination des Gewitters mit seinen sturmartigen Böen, mit Blitz, Donner und peitschendem Regen aus der gesicherten Position hinter den Fensterscheiben voll auskosten. Welch faszinierendes Schauspiel schenkt uns die Natur, wenn sie ihre unbändigen Kräfte entlässt. Was für eine Entspannung folgt, wenn sich der Sturm ausgetobt hat und sich die Wolken am Himmel wieder verziehen. Die Erschöpfung des Himmels spiegelt sich in unserer Seele wider: Auf jede Anstrengung folgt eine Phase der Ruhe, die uns wieder aufatmen und zum alltäglichen Leben zurückfinden lässt.

Es gibt Menschen, die das ganze Jahr über ihrem Urlaub entgegenfiebern. Kaum aber hat die sehnsüchtig erwartete freie Zeit begonnen, so verfallen sie in Depressionen, weil ihnen der tägliche Arbeitsrhythmus fehlt und sie

Sich entspannen können

dadurch das Gefühl bekommen, nicht mehr gehalten zu sein. Zu helfen scheint dann nur eine neu entwickelte Betriebsamkeit. So werden die Ferientage mit einem ausgeklügelten Freizeitprogramm gefüllt, das die Betreffenden unablässig in Atem hält, bis der Alltag wieder beginnt. Vielleicht wäre es besser, solche auch unter dem Namen „Wochenenddepressionen“ auftretenden Symptome so lange auszuhalten, bis die Seele wirklich zur Ruhe kommt und man entspannt und gelöst in den Tag sinken darf wie in einen gepolsterten Liegestuhl am warmen Sandstrand.

Lob der Faulheit

Manchmal sind wir von den Aufgaben und Herausforderungen eines Tages so beansprucht, dass wir am Abend keine Kraft mehr haben, um etwas zu unternehmen oder in irgendeiner Weise kreativ zu sein. Da lacht uns nur noch das Sofa an, um uns gemütlich ausstrecken zu können und vor uns hinzudösen und „abzuschalten". Auch solche Zeiten, in denen wir nichts tun, nichts machen, nichts leisten müssen, haben ihr gutes Recht. Vielleicht mag uns ein lustiger Fernsehfilm unterhalten, möglicherweise bekommen wir auch Lust darauf, ein Bad zu nehmen, damit wir in der Wärme des Wassers entspannen können. Was ist das für eine Wonne, wenn wir uns danach behaglich in unser Bett kuscheln können.

Da hat man sich seit langem auf einen Feiertag gefreut, für den man sich einen besonders schönen Ausflug vorgenommen hat. Doch schon beim Aufwachen hört man, dass es draußen in Strömen gießt und weiß, dass das heiß ersehnte Vorhaben buchstäblich ins Wasser fällt. Die Enttäuschung ist groß. Aber es wäre schade um die Zeit, wenn man sich den ganzen Tag seinem Ärger hingäbe. Mit etwas Flexibilität fällt einem sicher ein Ersatzprogramm ein: Der Besuch eines Museums, einer Ausstellung,

Wenn der Tag „ins Wasser fällt"

eines Konzerts oder Theaters. Oder man macht es sich zu Hause so richtig gemütlich und verwöhnt sich damit, dass man sich das Essen über einen Telefonservice ins Haus bringen lässt. So lässt sich auch ein verregneter Tag in vollen Zügen genießen.

Einmal sich nur in den Tag hineinfallen lassen dürfen in dem sicheren Gefühl, dass keine Uhr tickt, kein Wecker klingelt, keine Aufgabe auf einen wartet. Einmal einen Tag nur für sich alleine haben, ohne irgendeinen Anspruch erfüllen

Sich in den Tag hineinfallen lassen

oder auf andere Rücksicht nehmen zu müssen. Einmal nur dem eigenen Gefühl folgen dürfen und der Lust, die einen beseelt, um etwas von dem zu tun, was man schon lange gerne machen wollte. Niemandem Rechenschaft schulden über die sinnvoll gefüllten oder vergnüglich verplemperten Stunden des Tages. Einmal nur dem Anspruch der Seele folgen und dem Ruf der eigenen Bedürfnisse Gehör schenken und frohen Herzens Folge leisten.

So schön, wie es daheim ist, so gut tut es bisweilen auch, das „traute Heim“ zu verlassen und einen ganztägigen Ausflug zu unternehmen. Es ist nahezu gleichgültig, ob das eine Wanderung durch die Natur, die Besichtigung einer anderen Stadt oder der Besuch bei lieben Bekannten in einem anderen Ort ist. Oft hat man ja, wenn man nur wenige Stunden von zu Hause fort ist, das Gefühl, als sei man schon tagelang weit weg. Wesentlich ist der Abstand, den man dadurch zu

Sich einen „Tapetenwechsel“ gönnen

den Dingen bekommt, die einen daheim gefangen nehmen. Die bunten Bilder und Eindrücke, die wir unterwegs gewinnen, vermitteln uns neue Perspektiven und Impulse und darüber hinaus oftmals das Geschenk, von dem Erlebten noch lange Zeit zehren zu können.

„Mit Musik geht alles besser", besagt ein Sprichwort. Musik kann uns in unserem Wohlbefinden stark beeinflussen. Diese Erfahrung haben sich die Werbepsychologen zu eigen gemacht und berieseln uns entsprechend in jedem Kaufhaus und Supermarkt mit leisen Klängen, die unser Kaufverhalten anregen sollen. Auch zu Hause schalten wir gelegentlich das Radio ein, um im Hintergrund eine angenehme Geräuschkulisse zu haben. Vielleicht

Die Kunst der Klänge

sollten wir uns einmal am Tag eine Lieblingsplatte auflegen und uns dabei ganz auf die Musik konzentrieren. Was für ein Kunstwerk dringt da an unser Ohr, welch eine Leistung des Komponisten, Gesangs- und Orchesterstimmen so harmonievoll zueinander zu fügen, dass wir uns dabei entspannen und mit Leib und Seele wohl fühlen können.

Einem schönen Tag entgegenfiebern

Es gibt Tage, auf die wir uns schon wochenlang im Vorhinein freuen, zum Beispiel auf das Treffen mit einem lieben Menschen, den wir seit Ewigkeiten nicht mehr gesehen haben. Schon lange vor diesem Ereignis beschäftigt sich unsere Fantasie damit, was wir dem anderen alles erzählen und zeigen möchten, damit er Anteil nehmen kann an dem, was uns in der letzten Zeit beschäftigt und bewegt hat. Ebenso gespannt sind wir darauf, ob der andere sich sichtbar verändert hat und wie es ihm wohl in den vergangenen Monaten oder Jahren ergangen sein mag. Mit innerer Spannung erwarten wir das Treffen. Was für ein Glück erfahren wir an solch einem Tag, wenn wir merken, dass wir uns nach langer Zeit noch etwas zu sagen haben und spüren dürfen, dass wir uns nicht nur sehen, sondern einander auch begegnen können.

Jeden Tag ein wenig Hoch-Zeit feiern

„Für den schönsten Tag des Lebens“, so lautet die Werbung eines Modehauses für Brautkleider. Natürlich ist die Hochzeit ein Höhepunkt im Leben zweier Menschen, die sich vor einem Kreis lieber Freunde und Verwandter das Jawort geben. Aber es wäre schade, wenn nur ein Tag aus allen anderen besonders hervorragen würde. Vielleicht sollten wir uns überlegen, ob wir uns nicht gelegentlich weitere Hoch-Zeiten in unserem Leben ermöglichen können, Tage, die sich von dem grauen alltäglichen Einerlei durch besondere Farbigkeit und Fröhlichkeit abheben. Noch schöner wäre es, wir würden uns an jedem Tag eine kleine Hoch-Zeit gönnen: wenigstens eine Stunde, die wir mit dem füllen, was uns besonders viel Freude macht und uns ganz bei uns selbst sein lässt.

ΤΗ ΥΠΕΡ ΜΑΧΩ

Mit lieben Menschen zusammen fröhlich sein

Manchmal sitze ich am Abend still auf meinem Balkon, während aus den Nachbargärten lautes Lachen und fröhliche Lieder zu mir herüberschallen. Im ersten Augenblick fühle ich mich gestört. Dann aber denke ich, wie schön es ist, wenn sich Menschen mitten in der Woche zu einer Feier zusammenfinden und Spaß miteinander haben. Vielleicht, so überlege ich, sollte ich mir auch wieder einmal einige meiner Freundinnen und Freunde einladen, um sie mit einem leckeren Essen zu verwöhnen und mit ihnen zusammen vergnügt oder gar ausgelassen zu sein. Selbst, wenn die Feier bis in die Nacht geht und ich am kommenden Morgen nicht völlig ausgeschlafen bin, so belebt mich die Freude des kleinen Festes doch so weit, dass ich auch einmal einen Tag mit müden Augen überstehe.

Der geschenkte Tag

Ich hatte über lange Zeit hin so viel zu tun, dass ich mich notgedrungen von allen privaten Vergnügungen und leider auch von meinem Freundeskreis zurückziehen musste. Eines Sonntags früh, ich saß wieder am Computer, läutete es Sturm. Alle meine Freundinnen und Freunde standen vor der Tür und meinten, heute könne ich mich nicht entziehen. Ich solle mir etwas Sportliches anziehen und mein Fahrrad aus dem Keller holen, sie hätten eine Tour vorbereitet. Missmutig und mit schlechtem Gewissen meiner Arbeit gegenüber strampelte ich los. Doch je länger wir unterwegs waren, umso leichter wurde mir. Das herrliche Picknick trug das Seine dazu bei, dass ich mich auch körperlich gestärkt fühlte. Als ich abends im Bett lag, spürte ich, wie gut mir dieser eine Tag Abstand zu meiner täglichen Arbeit getan hatte.

Träume der Nacht

„Weißt du, wie viel Sternlein stehen, an dem hohen Himmelszelt?“, mit diesen Worten beginnt ein uns wohl allen noch vertrautes Kinderlied. Wie viele Sterne nun wirklich am Himmel stehen, können uns nicht einmal die Astronomen genau sagen. Aber darauf kommt es auch nicht an. Umso mehr mögen uns diese Worte dazu ermutigen, einmal wieder in Ruhe den sternenreichen Nachthimmel zu betrachten.
Wie viele Lichter leuchten uns, um die Dunkelheit zu erhellen und uns zum Träumen einzuladen. Vielleicht gibt es einen Stern, der in dieser Nacht nur für uns allein am Himmel steht oder einige Sternschnuppen, die uns ermutigen wollen, unseren sehnlichsten Wunsch gerade in diesem Augenblick zum Himmel aufsteigen zu lassen.

„Kannst du nicht aufpassen“, murrte die dicke alte Schildkröte, als sie das Kitzeln einer Fliege an ihrer Zunge spürte. „Ich habe gerade tief und fest geschlafen.“ „Ich begreife nicht, wie man sein ganzes Leben verschlafen kann“, summte die Fliege. „Was soll das heißen“, brummte die Schildkröte. „Ich habe jetzt gerade einmal vierundzwanzig Stunden lang geruht, was ist das schon bei den dreihundert Jahren, die ich auf dem

Den Augenblick auskosten

Panzer habe?“ „Mein ganzes Leben besteht nur aus so vielen Stunden, wie du jetzt gerade verschlafen hast“, erwiderte die Eintagsfliege. „Du Ärmste“, brummte die Schildkröte. „Du brauchst mich nicht zu bedauern“, erwiderte die Fliege. „Im Gegensatz zu dir verstehe ich nämlich jeden Augenblick dieses einen Tages zu genießen und für mich zu nutzen.“ Sprach’s und erhob sich leicht mit ihren Flügeln in die Richtung eines saftigen Marmeladenbrotes.

Printed in Malaysia by Tien Wah Press

www.herder.de

Gesamtgestaltung und Konzeption:
R-M-E Roland Eschlbeck/Rosemarie Kreuzer
Satz: Uwe Stohrer, Freiburg
ISBN 3-451-28041-8

Von Christa Spilling-Nöker ist in gleicher Ausstattung erschienen:

Einfach glücklich	ISBN 3-451-27992-4
Einfach danke	ISBN 3-451-27991-6
Einfach aus Liebe	ISBN 3-451-27994-0
Einfach aus Freude	ISBN 3-451-27993-2
Einfach Zeit nehmen	ISBN 3-451-27964-9
Einfach wohl fühlen	ISBN 3-451-27963-0
Einfach für dich	ISBN 3-451-27961-4
Einfach als Gruß	ISBN 3-451-27962-2
Einfach gelassen bleiben	ISBN 3-451-28045-0
Einfach aus Freundschaft	ISBN 3-451-28042-6
Einfach die Seele baumeln lassen	ISBN 3-451-28043-4